AUTORA:

ESTHER CÁRDENAS ARIAS

101 EJERCICIOS PARA HACER EN TU GIMNASIO

©Copyright: Esther Cárdenas Arias
©Copyright: De la presente Edición, Año 2018 WANCEULEN EDITORIAL

Título: 101 EJERCICIOS PARA HACER EN TU GIMNASIO
Autores: ESTHER CÁRDENAS ARIAS

Editorial: WANCEULEN EDITORIAL
Sello Editorial: WANCEULEN EDITORIAL DEPORTIVA

ISBN (Papel): 978-84-9993-783-0
ISBN (Ebook): 978-84-9993-784-7

Impreso en España. 2018.

WANCEULEN S.L.
C/ Cristo del Desamparo y Abandono, 56 - 41006 Sevilla
Dirección web: www.wanceuleneditorial.com y www.wanceulen.com
Email: info@wanceuleneditorial.com

Reservados todos los derechos. Queda prohibido reproducir, almacenar en sistemas de recuperación de la información y transmitir parte alguna de esta publicación, cualquiera que sea el medio empleado (electrónico, mecánico, fotocopia, impresión, grabación, etc), sin el permiso de los titulares de los derechos de propiedad intelectual. Cualquier forma de reproducción, distribución, comunicación pública o transformación de esta obra solo puede ser realizada con la autorización de sus titulares, salvo excepción prevista por la ley. Diríjase a CEDRO (Centro Español de Derechos Reprográficos, www.cedro.org) si necesita fotocopiar o escanear algún fragmento de esta obra.

Índice

1. Dedicatoria. 7
2. Agradecimientos. 8
3. Sobre la autora. 9
4. Como utilizar el libro. 13
5. Fichas de ejercicios. 17
6. Rutinas Entrenamiento 69

Dedicatoria

A veces la vida tiene a bien ponerte en aprietos para ayudarte a ver de los amigos que crees que tienes quienes están y quienes miran para otro lado… Edu ¡¡¡MUCHAS GRACIAS!!! Por no apartar la vista.

Esther Cárdenas Arias.

Agradecimientos

Me gustaría dar las gracias a Desiré Lama (www.desilamafotografia.com), la foto de la portada, de la contraportada y algunas de interior son de ella.

A Antonio Puig, director del Centro Deportivo Roís de Corella de Gandía por dejarnos utilizar sus instalaciones para realizar las fotos que ilustran este libro.

A Antonio Wanceulen (Editorial Wanceulen) por confiar en mí y apoyar mí trabajo.

A Orco y Xena, por arrancarme cada día más de una carcajada y a mí marido Ricardo por ayudarme a convertirme en lo que soy hoy.

Sobre la autora

Esther Cárdenas Arias

Esther nace en Valencia, el 17 de septiembre de 1974.

A los cinco años comienza a practicar Gimnasia Rítmica.

Durante más de cinco años compite hasta que a los dieciséis años deja la Gimnasia Rítmica y decide sacarse la titulación de Monitora de Aeróbic.

Tras retirarse de la competición trabaja durante cuatro años en diferentes colegios enseñando Gimnasia Rítmica como actividad extraescolar, eso lo complementa con clases de Aeróbic, en diferentes gimnasios e instalaciones Municipales.

Al comenzar a trabajar en gimnasios conoce el Kick Boxing, este deporte de contacto, completamente opuesto a lo que había hecho hasta entonces le llama la atención y decide probarlo, entrena Kick Boxing en diferentes gimnasios y en marzo de 2009 aprueba el examen de cinturón negro 1 grado.

Siempre en busca de nuevos desafíos comienza a entrenar M.M.A. y a los seis meses de iniciar los entrenos compite en los Mundiales de Pankration que se celebran en la legendaria ciudad de Esparta (Grecia) consiguiendo traerse a España la medalla de plata y convirtiéndose así en la primera mujer española en pelear en esta modalidad y lógicamente en la primera en colgarse una medalla.

Desde entonces se ha proclamado Campeona de España de M.M.A. Amateur y Grappling y ha conseguido ganar dos veces el Campeonato de España ADCC.

Como luchadora profesional de M.M.A. ha peleado en eventos tan importantes como el Arnold Fighters de Madrid o el 100%Fight de París.

En la actualidad imparte clases en el Club Xtreme Fighters que tiene sede en Gandía y Sueca.

Lleva más de veinte años implicada en el mundo del gimnasio, su trabajo diario le han desarrollado un físico espectacular fruto de su entrenamiento constante.

Tras sus primeros libros: "Compré una Plataforma Vibratoria… ¿Y ahora qué hago?". "101 ejercicios para entrenar a pesar de la crisis", "101 estiramientos para evitar lesiones" y "101 ejercicios para conseguir un vientre plano" nos trae este quinto título, diferentes formas para entrenar en vuestro gimnasio sin caer en la temida rutina.

Como utilizar este libro

Cuando me decidí a afrontar este libro, sabía que se han publicado hasta la saciedad títulos similares y que incluso en el gimnasio al que vas tienes un monitor de pesas en la sala que te ayuda y aconseja en tu rutina de entrenamiento y en la ejecución del ejercicio, pero yo he ido al gimnasio y en la mayoría de las ocasiones me encontré con un monitor que me entregaba una rutina estándar y que conocía solo "de oídas", los temores y manías que tenemos las mujeres respecto a nuestro físico.

Por eso en este libro he querido recopilar ejercicios con diferentes aparatos que "ataquen" las zonas que a las mujeres más nos preocupan, encontraras ejercicios para hacer con mancuernas, con el balón de fitness e incluso en maquinas de musculación, pero el objetivo siempre es el mismo... QUE TE VEAS BIEN.

Hacer un programa de entrenamiento con los ejercicios que tenéis en las fichas es muy sencillo, de todas formas os he puesto después de las fichas cuatro rutinas para hacerlas durante la semana, dejando el miércoles para descansar, eso sí, lo más importante es que tú te marques un objetivo que sea real y alcanzable, una vez fijada la meta, es cuando podemos coger irnos al gimnasio y entrenar para alcanzarla.

Estos son algunos de los objetivos que nos marcamos para entrenar y algunos consejos para poder llegar a alcanzarlos: Perder peso.

Si nuestro objetivo es entrenar para perder peso, lo primero que debemos de saber es que tenemos que controlar nuestra ingesta de alimentos y luego, por supuesto, aumentar nuestra actividad física, nuestro peor enemigo va a ser el sedentarismo.

Se recomienda hacer un mínimo de 60 minutos de entrenamiento para perder peso, yo voy a dividiros ese tiempo haciendo primero 30 minutos de ejercicios de cardio y otros 30 minutos de ejercicios en sala, así lograremos la hora de entrenamiento que necesitamos para quemar calorías sin aburrirnos.

Empezaremos haciendo ejercicios aeróbicos: Correr en la cinta, bicicleta estática, máquina elíptica, etc., dependerá de la máquina que encontréis en vuestro centro, lógicamente también vale salir a correr e incluso saltar la comba.

La verdad es que no hay un ejercicio mejor que otro para luchar contra el sobrepeso, así que mi consejo es que hagas el ejercicio que más te guste, pero eso sí, con regularidad.

Ahora nos toca elegir ejercicios para poder hacer una vez hemos roto a sudar con el trabajo aeróbico, un entrenamiento en forma de circuito es una buena opción para quemar grasa, es decir, un ejercicio seguido de otro y sin descanso entre ellos hasta haber realizado todos los ejercicios.

Después se descansa de uno a dos minutos y volvemos a empezar hasta completar de tres a cuatro series.

En este tipo de entrenamiento si trabajamos con peso lo ideal es hacerlo con poca carga haciendo muchas repeticiones y lo más rápidamente posible.

Como endurecer este entrenamiento de tres formas diferentes:

    a)   Subiendo el número de repeticiones.

    b)   Subiendo el número de series.

    c)   Disminuyendo el tiempo de descanso entre serie y serie.

✓ Reafirmar una zona concreta.

Si lo que buscamos es reafirmar una zona concreta de nuestro cuerpo (piernas, pecho, glúteos, etc.), tenemos que ser coherentes con ese propósito y buscar ejercicios que vayan dirigidos a esa zona e intentar aislar al máximo ese grupo muscular para evitar que otros músculos se vean implicados y ayuden a la zona que queremos reafirmar.

En este caso, elegiremos de las fichas de ejercicios aquellos que más nos interesen para conseguir nuestro objetivo, como en el entrenamiento anterior, la constancia es nuestra mejor aliada, tened en cuenta que el hacer ejercicio no es como tomar el sol, que un día te haces un poco moreno y al día siguiente si no vas ese color se mantiene durante unos meses, en el ejercicio si voy un día y luego paso una semana sin ir, lo conseguido no se acumula, se pierde, y luego cuesta el doble, porque al romper con la rutina que teníamos luego hay que hacer el esfuerzo de volver a cogerla y volver a pasar por las mismas y dolorosas agujetas que ya habíamos pasado antes.

✓ <u>Mantenimiento</u>

El entrenamiento para mantenernos es quizás el más costoso, porque para perder peso o reafirmar una zona concreta tenemos la motivación de lograr un objetivo, sin embargo, el mantener el entrenamiento diario requiere mucha autodisciplina y determinación.

Por eso, lo mejor es variar mucho la tabla de nuestro entrenamiento para que la rutina y la monotonía no hagan que abandonemos el gimnasio.

Tenéis suficientes ejercicios para poder cambiar la rutina de entrenamiento cuando empecéis a cansaros de ella.

Ahora os dejo con las fichas de ejercicios, marcaros unos objetivos claros y alcanzables y al gimnasio, es hora de poner a trabajar a nuestro cuerpo.

EJERCICIO Nº 1

Bicicleta Estática
Objetivo: Calentar, mejorar cardio y quema grasa
Tiempo: Si queremos calentar diez minutos es suficiente, pero para mejorar cardio o quemar grasa mínimo treinta.

EJERCICIO Nº 2

Máquina elíptica
Objetivo: Calentar, mejorar cardio y quema grasa
Tiempo: Si queremos calentar diez minutos es suficiente, pero para mejorar cardio o quemar grasa mínimo treinta.

| EJERCICIO Nº 3 | **Cinta correr**
Objetivo: Calentar, mejorar cardio y quema grasa
Tiempo: Si queremos calentar diez minutos es suficiente, pero para mejorar cardio o quemar grasa mínimo treinta. |

| EJERCICIO Nº 4 | **Pedaleo con los brazos**
Objetivo: Calentar, mejorar cardio y quema grasa
Tiempo: Si queremos calentar diez minutos es suficiente, pero para mejorar cardio o quemar grasa mínimo treinta. |

EJERCICIO Nº 5

Máquina pedaleo sentada
Objetivo: Calentar, mejorar cardio y quema grasa
Tiempo: Si queremos calentar diez minutos es suficiente, pero para mejorar cardio o quemar grasa mínimo treinta.

EJERCICIO Nº 6

Máquina elíptica esqui
Objetivo: Calentar, mejorar cardio y quema grasa
Tiempo: Si queremos calentar diez minutos es suficiente, pero para mejorar cardio o quemar grasa mínimo treinta.

EJERCICIO Nº 7	**Gesto Técnico:** Comenzamos con la barra sobre el pecho y las piernas flexionadas, estiraremos brazos y piernas al mismo tiempo y luego al bajar la barra flexionamos también las piernas. **Objetivo:** Hombros **Tiempo:** 3 series de 16 repeticiones.

EJERCICIO Nº 8	**Gesto Técnico:** Las dos pesas al lado de la cabeza, al mismo tiempo que estiramos los brazos giramos el cuerpo. **Objetivo:** Hombros **Tiempo:** 3 series de 16 repeticiones.

EJERCICIO Nº 9

Gesto Técnico: Apoyamos el pecho en un banco dejamos los brazos muertos, codos hacia arriba y manos mirando al suelo (ver foto) desde esa posición levantamos las manos hacia arriba a la altura de la cara.
Objetivo: Hombro.
Tiempo: 3 series de 16 repeticiones.

EJERCICIO Nº 10

Gesto Técnico: Sentado sobre un banco, brazos estirados en cruz, dejamos un brazo estirado y bajamos el otro y así alternando con los dos brazos.
Objetivo: Hombros.
Tiempo: 3 series de 30 repeticiones.

| EJERCICIO Nº 11 | **Gesto Técnico:** Con la ayuda de un balón (ver foto) alternando los brazos, estiraremos un brazo hacia atrás lo recogeremos y luego el otro.
Objetivo: Hombro.
Tiempo: 3 series de 30 repeticiones. |

| EJERCICIO Nº 12 | **Gesto Técnico:** Sentados sobre un banco con las pesas al lado de la cabeza, vamos estirando los brazos alternando uno y otro.
Objetivo: Hombros.
Tiempo: 4 series de 16 repeticiones. |

| EJERCICIO Nº 13 | **Gesto Técnico:** De pie, cogemos una barra con los brazos estirados, sin doblar los brazos subiremos y bajaremos los hombros.
Objetivo: Hombros.
Tiempo: 3 series de 16 repeticiones. |

| EJERCICIO Nº 14 | **Gesto Técnico:** De pie, cogemos dos mancuernas y elevamos los brazos hasta la altura de nuestros hombros aproximadamente.
Objetivo: Hombros.
Tiempo: 3 series de 16 repeticiones. |

| EJERCICIO Nº 15 | **Gesto Técnico:** De pie, estiramos los brazos por encima de nuestra cabeza y subimos y bajamos los hombros sin doblar los brazos.
Objetivo: Hombros.
Tiempo: 3 series de 16 repeticiones. |

| EJERCICIO Nº 16 | **Gesto Técnico:** De pie, piernas semiflexionadas y brazo doblado con la pesa a la altura del hombro y haremos una extensión total de brazo y piernas y volver a la posición inicial.
Objetivo: Hombro.
Tiempo: 3 series de 16 repeticiones |

| EJERCICIO Nº 17 | **Gesto Técnico:** Sentada sobre la pelota, con las mancuernas al lado de nuestra cabeza, estiramos los brazos y volvemos a la posición inicial.
Objetivo: Hombros.
Tiempo: 3 series de 16 repeticiones. |

| EJERCICIO Nº 18 | **Gesto Técnico:** Press de banca plano. Acostadas sobre un banco, cogemos la barra la bajamos hasta nuestro pecho y la subimos de nuevo.
Objetivo: Pecho.
Tiempo: 3 series de 16 repeticiones. |

| EJERCICIO Nº 19 | **Gesto Técnico:** Press de banca inclinado. Sentadas sobre un banco, cogemos la barra la bajamos hasta nuestro pecho y la subimos de nuevo.
Objetivo: Pecho.
Tiempo: 3 series de 16 repeticiones. |

| EJERCICIO Nº 20 | **Gesto Técnico:** Nos acostamos sobre un banco inclinado hacia abajo, cogemos la barra que pondremos a la altura del pecho, estiraremos los brazos y a la posición inicial.
Objetivo: Pecho.
Tiempo: 3 series de 16 repeticiones. |

EJERCICIO Nº 21
Gesto Técnico: Nos sentamos en la máquina de peck deck y cerramos y abrimos los brazos.
Objetivo: Pecho.
Tiempo: 3 series de 16 repeticiones.

EJERCICIO Nº 22
Gesto Técnico: Nos cogemos de los cables y llevamos las manos hacia el centro de nuestro cuerpo.
Objetivo: Pecho
Tiempo: 3 series de 16 repeticiones.

EJERCICIO Nº 23	**Gesto Técnico:** Nos acostamos sobre un banco, con las piernas elevadas y las mancuernas juntas (ver foto) y bajamos los brazos y los subimos. **Objetivo:** Pecho. **Tiempo:** 3 series de 16 repeticiones.

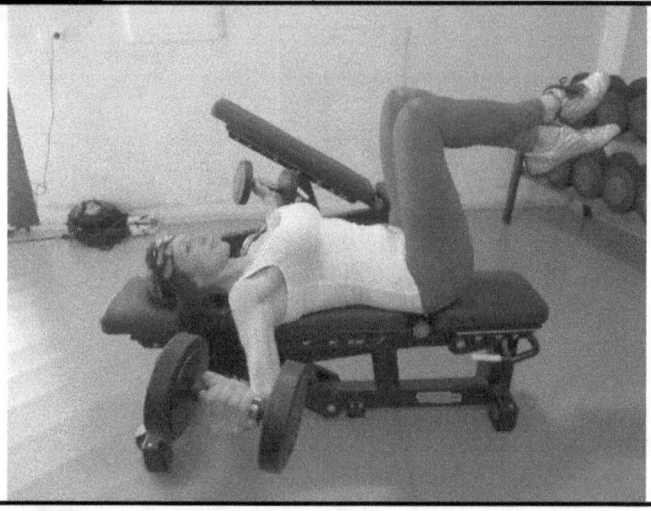

EJERCICIO Nº 24	**Gesto Técnico:** Nos sentamos en un banco, apoyamos el pecho sobre nuestras piernas, las pesas delante de las piernas (ver foto) y elevamos los brazos. **Objetivo:** Pecho **Tiempo:** 3 series de 16 repeticiones.

EJERCICIO Nº 25

Gesto Técnico: Ponemos los pies sobre un balón de Fitness, manos en el suelo y flexionamos los brazos y arriba de nuevo.
Objetivo: Pecho.
Tiempo: 3 series de 16 repeticiones.

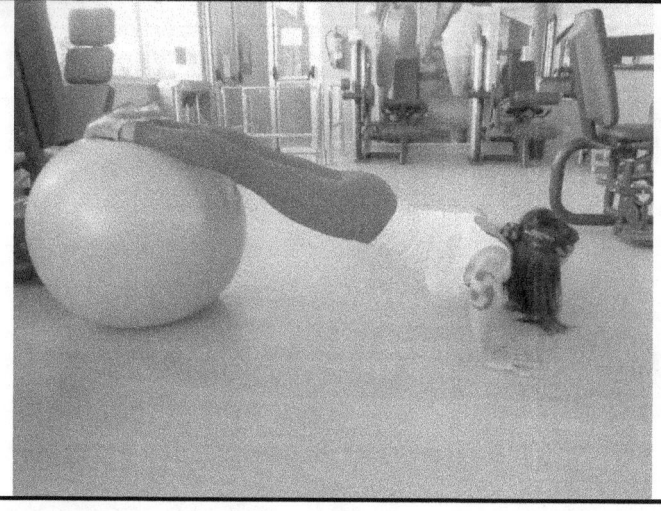

EJERCICIO Nº 26

Gesto Técnico: Apoyamos las pies sobre un banco, manos en el suelo y flexionamos y estiramos los brazos.
Objetivo: Pecho.
Tiempo: 3 series de 16 repeticiones.

| EJERCICIO Nº 27 | **Gesto Técnico:** Posición de flexiones, un pie sobre otro y subimos y bajamos el cuerpo.
Objetivo: Pecho.
Tiempo: 3 series de 16 repeticiones. |

| EJERCICIO Nº 28 | **Gesto Técnico:** Cogemos los cables y empujamos de ellos hacia el centro de nuestro cuerpo.
Objetivo: Pecho
Tiempo: 3 series de 15 repeticiones. |

EJERCICIO Nº 29	**Gesto Técnico:** Flexión con step. En posición de flexiones, pondremos una mano sobre el step y la otra en el suelo. Trabajar ambos brazos. **Objetivo:** Pecho. **Tiempo:** 2 series de 15 repeticiones.

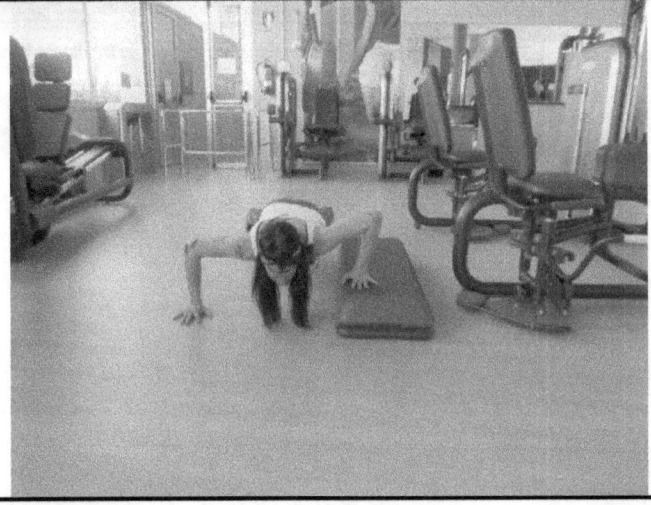

EJERCICIO Nº 30	**Gesto Técnico:** Este máquina es una especie de "Press de banca" sentado, la idea es empujar hacia adelante, sin movimientos bruscos y volver a la posición inicial. **Objetivo:** Pecho. **Tiempo:** 3 series de 15 repeticiones.

| EJERCICIO Nº 31 | **Gesto Técnico:** Nos sentamos, cogemos la barra de la máquina y la bajamos hasta nuestro pecho.
Objetivo: Espalda.
Tiempo: 3 series de 16 repeticiones. |

| EJERCICIO Nº 32 | **Gesto Técnico:** Nos sentamos, cogemos la barra de la máquina y la bajamos por detrás hasta la nuca.
Objetivo: Espalda.
Tiempo: 3 series de 16 repeticiones. |

EJERCICIO Nº 33

Gesto Técnico: Nos sentamos frente a la maquina, agarre estrecho, piernas ligeramente flexionadas. Llevamos los brazos hacia el pecho y al mismo tiempo se estira el cuerpo.
Objetivo: Espalda.
Tiempo: 3 series de 16 repeticiones.

EJERCICIO Nº 34

Gesto Técnico: Apoyamos una mano y una rodilla sobre un banco (ver foto) cogeremos una mancuerna con la otra mano y recogeremos y estiraremos el brazo. Trabajar ambos brazos.
Objetivo: Espalda.
Tiempo: 3 series de 16 repeticiones.

| EJERCICIO Nº 35 | **Gesto Técnico:** Flexionamos el tronco, espalda recta, cogemos una barra y la llevamos hasta nuestro pecho.
Objetivo: Espalda.
Tiempo: 3 series de 16 repeticiones. |

| EJERCICIO Nº 36 | **Gesto Técnico:** Dominadas. El ejercicio más básico para trabajar la espalda y el más difícil de realizar, el gesto técnico es fácil, nos cogemos de una barra y levantamos nuestro cuerpo a pulso.
Objetivo: Espalda.
Tiempo: Tendríamos que intentar hacer un mínimo de 5. |

EJERCICIO Nº 37

Gesto Técnico: Nos ponemos frente a la máquina de poleas, agarre ancho y bajamos la barra hacia nuestra cintura.
Objetivo: Espalda.
Tiempo: 3 series de 16 repeticiones.

EJERCICIO Nº 38

Gesto Técnico: Cogemos una barra y la podemos entre nuestras piernas, estiramos y encogemos los brazos.
Objetivo: Espalda.
Tiempo: 3 series de 16 repeticiones.

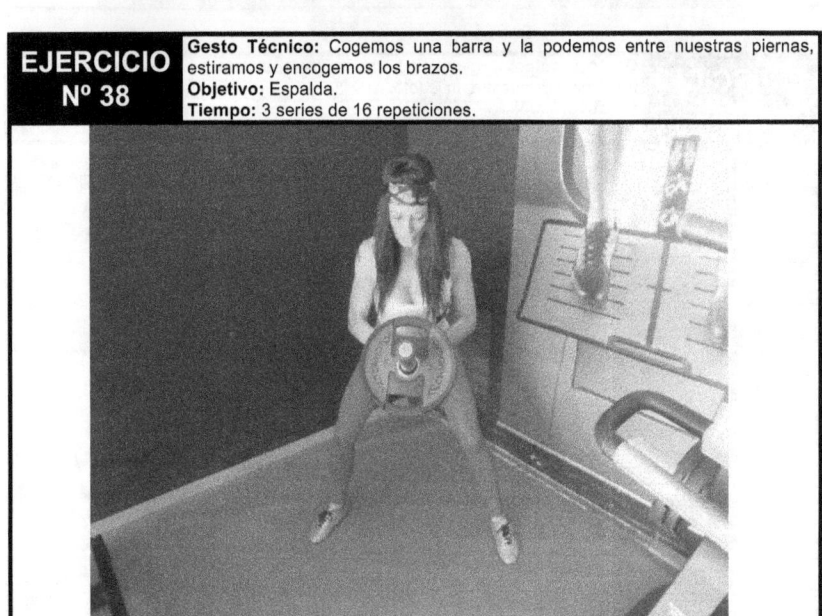

EJERCICIO Nº 39

Gesto Técnico: Cogemos una barra, cada una de las manos mirara en una dirección (ver foto), bajaremos la barra hacia el suelo sin doblar las piernas ni la espalda. Movimiento muy lento.
Objetivo: Espalda.
Tiempo: 3 series de 16 repeticiones.

EJERCICIO Nº 40

Gesto Técnico: Cogemos la barra con los brazos rectos y subimos los brazos tal y como se vuestra en la foto.
Objetivo: Trapecio
Tiempo: 3 series de 16 repeticiones.

EJERCICIO Nº 41	**Gesto Técnico:** Nos sentamos en la maquina, cogemos uno de los mangos del manillar y llevamos la mano hacia nuestro pecho. **Objetivo:** Espalda **Tiempo:** 3 series de 16 repeticiones.

EJERCICIO Nº 42	**Gesto Técnico:** Esta máquina tienes que cogerla estirando completamente los brazos y el ejercicio consiste en bajar el manillar hasta la altura de nuestros hombros. **Objetivo:** Espalda **Tiempo:** 3 series de 16 repeticiones.

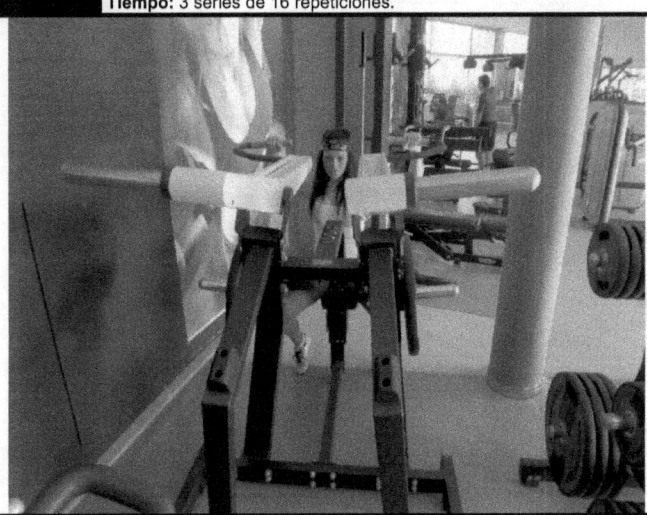

| EJERCICIO Nº 43 | **Gesto Técnico:** Nos sentamos en la máquina, cogemos el manillar y lo llevamos hacia nuestro pecho.
Objetivo: Espalda
Tiempo: 3 series de 16 repeticiones. |

| EJERCICIO Nº 44 | **Gesto Técnico:** Cogemos los cables de la parte baja de la máquina, y flexionamos los brazos y los estiramos.
Objetivo: Bíceps.
Tiempo: 3 series de 16 repeticiones. |

EJERCICIO Nº 45

Gesto Técnico: Cogemos dos mancuernas, y flexionamos los brazos y los estiramos. Este gesto se denomina "Curls de martillo" y es debido a la posición de las mancuernas, en todo momento las palmas de nuestras manos se miran.
Objetivo: Bíceps.
Tiempo: 3 series de 16 repeticiones.

EJERCICIO Nº 46

Gesto Técnico: Flexionamos las piernas, cogemos una mancuerda y apoyamos el codo en nuestro muslo, flexionamos y estiramos el brazo.
Objetivo: Bíceps.
Tiempo: 3 series de 16 repeticiones.

EJERCICIO Nº 47

Gesto Técnico: Nos sentamos en la máquina de Curl Predicador, apoyamos el pecho sobre la banca, sube la barra hasta la barbilla y luego bájala. Haz el gesto con lentitud.
Objetivo: Bíceps.
Tiempo: 3 series de 16 repeticiones.

EJERCICIO Nº 48

Gesto Técnico: Nos sentamos sobre un banco inclinado y cogemos dos mancuernas que iremos subiendo y bajando de forma alternativa.
Objetivo: Bíceps.
Tiempo: 3 series de 16 repeticiones.

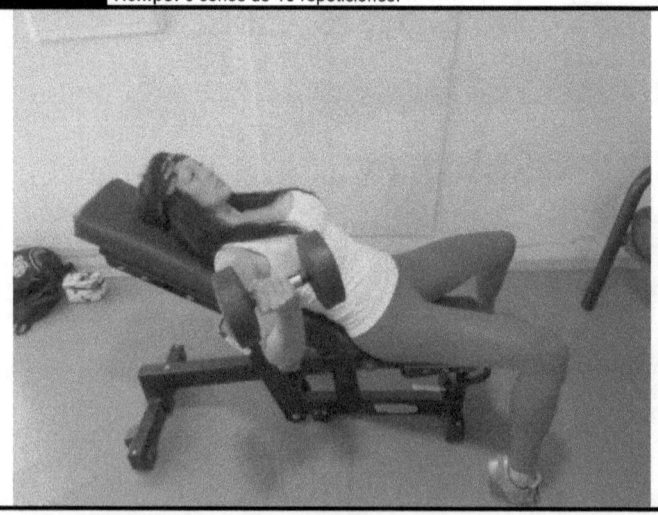

EJERCICIO Nº 49

Gesto Técnico: Engancha una barra a una polea a nivel del suelo. Coge la barra y súbela hasta tu pecho sin mover los codos, luego estira de nuevo los brazos y vuelve a empezar.
Objetivo: Bíceps.
Tiempo: 3 series de 16 repeticiones.

EJERCICIO Nº 50

Gesto Técnico: Siéntate en un banco, apoya el codo que del brazo que sujeta la mancuerna en tu muslo y extiende y recoge el brazo.
Objetivo: Bíceps.
Tiempo: 3 series de 16 repeticiones.

EJERCICIO Nº 51

Gesto Técnico: De pie, piernas separadas, las manos sujetan la barra a la altura de los hombros, ahora sube la barra hasta tu barbilla y estira de nuevo los brazos, no hagas trampas y no eches tu cuerpo hacia atrás al subir la barra.
Objetivo: Bíceps.
Tiempo: 3 series de 16 repeticiones.

EJERCICIO Nº 52

Gesto Técnico: Túmbate sobre un banco, coge una mancuerna y elevara sobre tu cabeza (ver foto) desde esa posición dobla los codos para que la mancuerna baje por detrás de tu cabeza. Intenta no mover los codos.
Objetivo: Tríceps.
Tiempo: 3 series de 16 repeticiones.

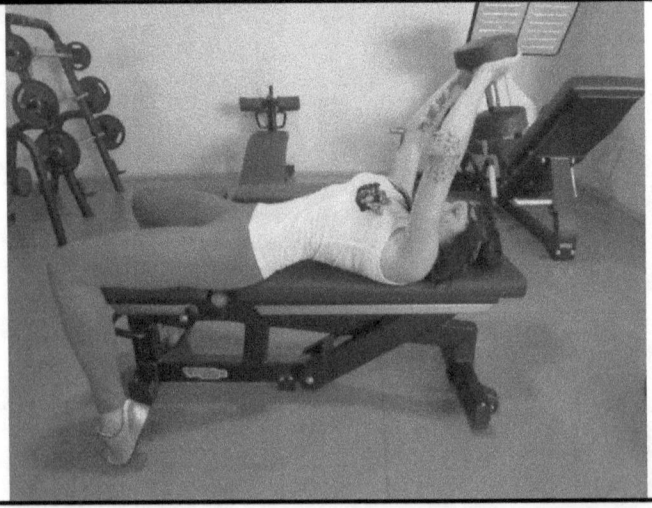

| **EJERCICIO N° 53** | **Gesto Técnico:** Coge los cables con las palmas de las manos hacia arriba, fija los codos y lleva las manos hacia atrás.
Objetivo: Tríceps.
Tiempo: 3 series de 16 repeticiones. |

| **EJERCICIO N° 54** | **Gesto Técnico:** Extensión de tríceps. Aprovecha una barra, cógete a ella, dobla los brazos y baja el cuerpo, después empuja hacia atrás y levántate hasta la posición inicial.
Objetivo: Tríceps.
Tiempo: 3 series de 12 repeticiones. |

EJERCICIO Nº 55	**Gesto Técnico:** Fondos tras la espalda. Coloca dos bancos en uno apoya las manos y en el otro los pies, tal y como se muestra en la foto, flexiona los brazos y baja el cuerpo hacia el suelo. **Objetivo:** Tríceps. **Tiempo:** 3 series de 12 repeticiones.

EJERCICIO Nº 56	**Gesto Técnico:** De pie, piernas flexionadas, espalda recta, estiramos los brazos hacia atrás de nuestro cuerpo y los recogemos de nuevo hacia nuestro pecho, sin mover los codos. **Objetivo:** Tríceps. **Tiempo:** 3 series de 16 repeticiones.

EJERCICIO Nº 57

Gesto Técnico: Engancha una cuerda a la polea alta de la máquina, ponte de espaldas a ella y dobla los brazos para coger la cuerda, desde esa posición estira los brazos y dóblalos hasta la posición inicial.
Objetivo: Tríceps.
Tiempo: 3 series de 16 repeticiones.

EJERCICIO Nº 58

Gesto Técnico: Engancha una pequeña barra a la polea de la máquina y tira de ella hacia abajo sin mover los codos.
Objetivo: Tríceps.
Tiempo: 3 series de 16 repeticiones.

| EJERCICIO Nº 59 | **Gesto Técnico:** Igual que el ejercicio anterior pero en está ocasión trabajas con una cuerda.
Objetivo: Tríceps.
Tiempo: 3 series de 16 repeticiones. |

| EJERCICIO Nº 60 | **Gesto Técnico:** Extensión de tríceps con una mano. Nos sentamos en un banco, cogemos una mancuerna y la subimos por encima de nuestra cabeza y flexionamos el codo, la otra mano sujetara el brazo contrario para que no se separe, desde ahí, extendemos y flexionamos el brazo.
Objetivo: Tríceps.
Tiempo: 3 series de 16 repeticiones. |

| EJERCICIO Nº 61 | **Gesto Técnico:** Nos acostamos en un banco y levantamos las piernas, cogemos una barra y la llevamos por detrás de la cabeza (ver foto) dejamos los codos fijos y subimos y bajamos la barra.
Objetivo: Tríceps.
Tiempo: 3 series de 16 repeticiones. |

| EJERCICIO Nº 62 | **Gesto Técnico:** Fondos. Cógete de la barra paralela y dobla y estira los brazos, trabajas con tu propio peso.
Objetivo: Tríceps.
Tiempo: 3 series de 5 repeticiones. |

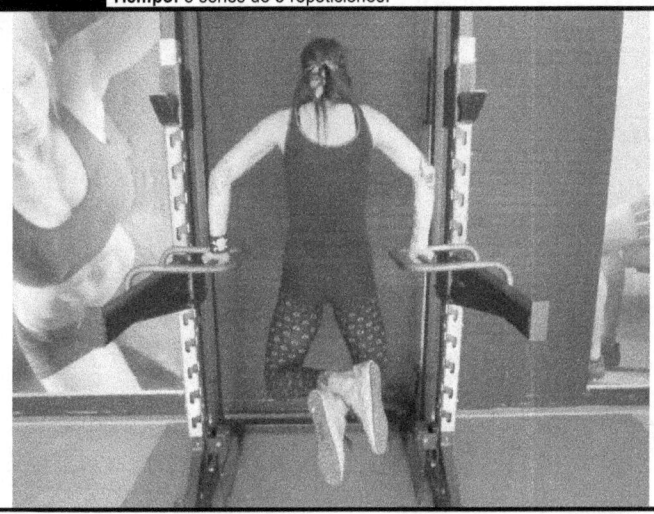

| EJERCICIO Nº 63 | **Gesto Técnico:** Nos sentamos en la máquina de abdominales, ajustamos el arnés y doblamos el cuerpo hacia adelante y volvemos a la posición inicial.
Objetivo: Abdominales.
Tiempo: 3 series de 20 repeticiones. |

| EJERCICIO Nº 64 | **Gesto Técnico:** Apoyando los antebrazos mantener la posición de la fotografía.
Objetivo: Abdominales.
Tiempo: 3 repeticiones de 30 segundos. |

EJERCICIO Nº 65

Gesto Técnico: Nos tumbamos boca abajo con los pies sobre el balón y los antebrazos apoyados en el suelo, traemos las piernas hacia el pecho (foto) y las estiramos de nuevo.
Objetivo: Abdominales.
Tiempo: 3 series de 15 repeticiones.

EJERCICIO Nº 66

Gesto Técnico: Apoyamos los pies en un banco y una de nuestras manos en el suelo con el brazo estirado, intentar mantener el cuerpo recto.
Objetivo: Abdominales.
Tiempo: 3 series de 30 segundos.

EJERCICIO Nº 67

Gesto Técnico: Con la ayuda de la máquina de cables, cogemos uno de ellos de abajo y rotaremos el cuerpo hacia el lado contrario.
Objetivo: Abdominales.
Tiempo: 3 series de 15 repeticiones.

EJERCICIO Nº 68

Gesto Técnico: Nos colocaremos en posición de flexiones y cogeremos dos mancuernas, intentaremos subir una de las mancuernas cada vez manteniendo el cuerpo erguido.
Objetivo: Abdominales.
Tiempo: 3 series de 15 repeticiones.

| EJERCICIO Nº 69 | **Gesto Técnico:** Nos colocamos de lado con el brazo estirado sujetando una mancuerna e intentar mantener el cuerpo recto.
Objetivo: Abdominales.
Tiempo: 3 series de 30 segundos. |

| EJERCICIO Nº 70 | **Gesto Técnico:** Nos ponemos en la máquina de lumbares y hacemos elevaciones de tronco.
Objetivo: Lumbares.
Tiempo: 3 series de 15 repeticiones. |

EJERCICIO Nº 71	**Gesto Técnico:** Igual que el ejercicio anterior pero en está ocasión al final hacemos una pequeña rotación del tronco. **Objetivo:** Lumbares. **Tiempo:** 3 series de 15 repeticiones.

EJERCICIO Nº 72	**Gesto Técnico:** Igual que el ejercicio 70, pero en está ocasión cogemos un disco para añadir peso a nuestras repeticiones. **Objetivo:** Lumbares. **Tiempo:** 3 series de 15 repeticiones.

| EJERCICIO Nº 73 | **Gesto Técnico:** Cogemos un disco, lo subimos por encima de nuestra cabeza y movemos el tronco hacia un lado y hacia el otro.
Objetivo: Oblicuos.
Tiempo: 3 series de 15 repeticiones. |

| EJERCICIO Nº 74 | **Gesto Técnico:** Cogemos dos mancuernas y hacemos pequeñas rotaciones de tronco.
Objetivo: Oblicuos.
Tiempo: 3 series de 15 repeticiones. |

| EJERCICIO Nº 75 | **Gesto Técnico:** Cogemos dos mancuernas y balanceamos el cuerpo hacia un lado y hacia otro.
Objetivo: Oblicuos.
Tiempo: 3 series de 15 repeticiones. |

| EJERCICIO Nº 76 | **Gesto Técnico:** Sentadilla. Cogemos una barra la apoyamos sobre nuestro cuello y flexionamos las piernas y volvemos a la posición inicial.
Objetivo: Pierna (cuádriceps y glúteo)
Tiempo: 3 series de 15 repeticiones. |

EJERCICIO Nº 77

Gesto Técnico: Prensa. Nos sentamos en el banco de la máquina colocamos los pies sobre la plataforma y flexionamos y estiramos las piernas.
Objetivo: Pierna (cuádriceps y glúteo)
Tiempo: 3 series de 15 repeticiones.

EJERCICIO Nº 78

Gesto Técnico: Extensiones de pierna. Siéntate en el asiento y traba tus pies bajo la barra acolchada, extiende las piernas lentamente y vuelve a la posición inicial.
Objetivo: Pierna (cuádriceps)
Tiempo: 3 series de 15 repeticiones.

EJERCICIO Nº 79	**Gesto Técnico:** Tijeras. Cogemos dos mancuernas, pies paralelos, damos un paso hacia adelante intentando llevar la pierna de atrás casi al suelo. Volver a la posición inicial y repetir el gesto con la otra pierna. **Objetivo:** Pierna (cuádriceps y glúteo) **Tiempo:** 3 series de 15 repeticiones.

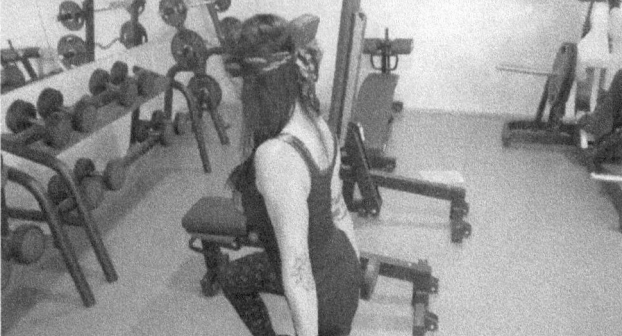

EJERCICIO Nº 80	**Gesto Técnico:** Cogemos una mancuerna, piernas abierta, flexionamos las piernas y volvemos a la posición inicial. **Objetivo:** Pierna (cuádriceps y glúteo) **Tiempo:** 3 series de 15 repeticiones.

| EJERCICIO Nº 81 | **Gesto Técnico:** Cogemos dos mancuernas, una pierna delante y la otra detrás, las flexionamos y las estiramos, a cámara lenta.
Objetivo: Pierna (cuádriceps y glúteo)
Tiempo: 3 series de 15 repeticiones. |

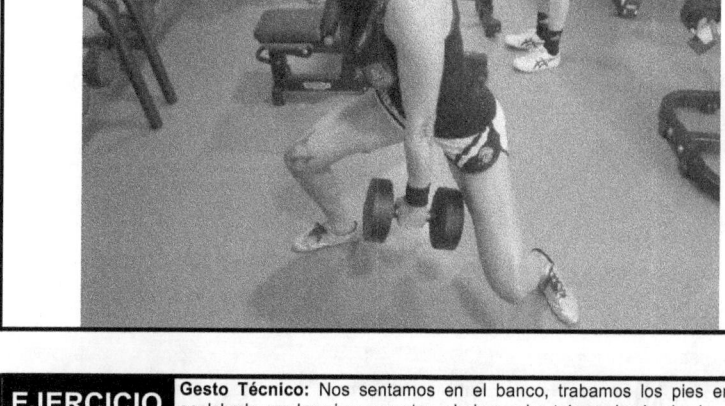

| EJERCICIO Nº 82 | **Gesto Técnico:** Nos sentamos en el banco, trabamos los pies en la barra acolchada con las piernas rectas y bajamos los talones hacia el culo.
Objetivo: Pierna (bíceps femoral)
Tiempo: 3 series de 15 repeticiones. |

EJERCICIO Nº 83

Gesto Técnico: Cogemos una barra, apoyamos una pierna sobre un banco y flexionamos la otra, repetir el gesto a cámara lenta y trabajar las dos piernas.
Objetivo: Pierna (cuádriceps y glúteo)
Tiempo: 3 series de 15 repeticiones.

EJERCICIO Nº 84

Gesto Técnico: Subimos a la maquina, apoyamos la pierna en la barra acolchada a la altura del gemelo y elevamos la pierna, trabajar ambas piernas.
Objetivo: Pierna (Glúteo)
Tiempo: 3 series de 15 repeticiones.

EJERCICIO Nº 85

Gesto Técnico: Nos subimos a la máquina de gemelos, colocamos las barras acolchadas sobre nuestros hombros, sacamos los talones de la plataforma y nos ponemos de puntillas, haced el movimiento lentamente.
Objetivo: Gemelos.
Tiempo: 3 series de 15 repeticiones.

EJERCICIO Nº 86

Gesto Técnico: No hay máquina de gemelos en el gym, pues no pasa nada, nos sentamos en un banco cogemos nos mancuernas que apoyaremos en nuestros muslos y levantamos los talones del suelo.
Objetivo: Gemelos.
Tiempo: 3 series de 15 repeticiones.

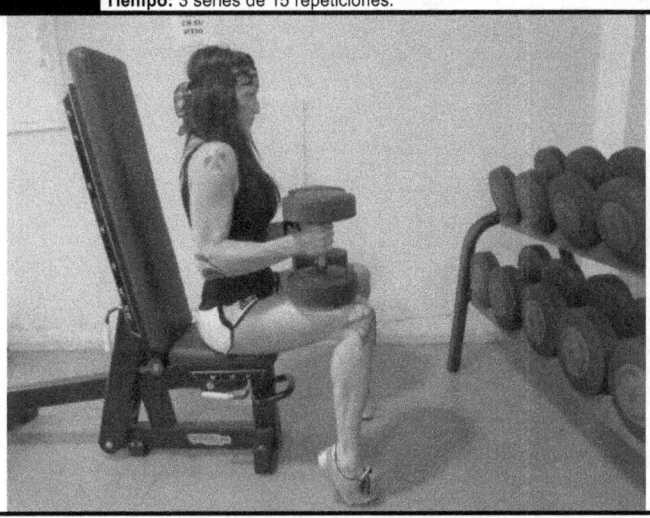

| EJERCICIO Nº 87 | **Gesto Técnico:** De pie, a la pata coja, nos apoyamos en un banco para mantener el equilibrio y levantamos el talón del suelo, trabajamos ambas piernas.
Objetivo: Gemelos.
Tiempo: 3 series de 15 repeticiones. |

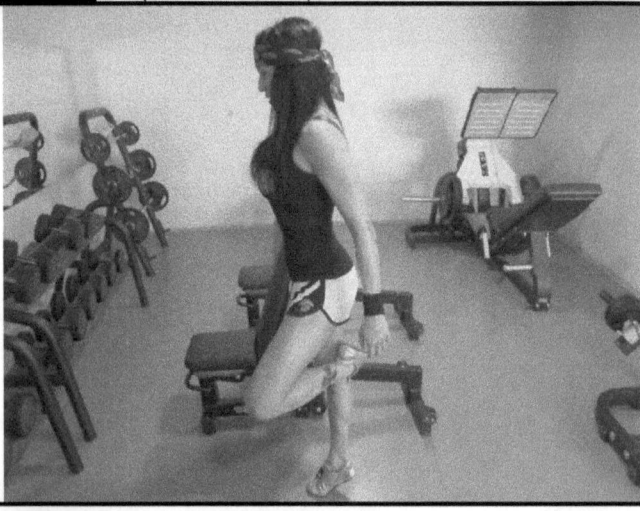

| EJERCICIO Nº 88 | **Gesto Técnico:** Sentadilla. Cogemos los cables, regulamos el peso que tenemos justo detrás de nosotras y flexionamos las piernas y volvemos a la posición inicial.
Objetivo: Pierna (cuádriceps y glúteo)
Tiempo: 3 series de 15 repeticiones. |

EJERCICIO Nº 89

Gesto Técnico: Tijeras. Cogemos los cables, regulamos el peso que tenemos justo detrás de nosotras y pies paralelos, damos un paso hacia adelante intentando llevar la pierna de atrás casi al suelo. Volver a la posición inicial y repetir el gesto con la otra pierna.
Objetivo: Pierna (cuádriceps y glúteo)
Tiempo: 3 series de 15 repeticiones.

EJERCICIO Nº 90

Gesto Técnico: De pie, frente a la máquina, apoyamos la pierna en la barra acolchada y empujamos hacia adentro. Trabajar ambas piernas.
Objetivo: Pierna (abductores)
Tiempo: 3 series de 15 repeticiones.

| EJERCICIO Nº 91 | **Gesto Técnico: Gesto Técnico:** De pie, frente a la máquina, apoyamos la pierna en la barra acolchada y empujamos hacia afuera. Trabajar ambas piernas.
Objetivo: Pierna (abductores)
Tiempo: 3 series de 15 repeticiones. |

| EJERCICIO Nº 92 | **Gesto Técnico:** Nos sentamos, apoyamos las rodillas en las zonas acolchadas y cerramos las piernas, no hacer movimientos bruscos.
Objetivo: Pierna (abductores)
Tiempo: 3 series de 15 repeticiones. |

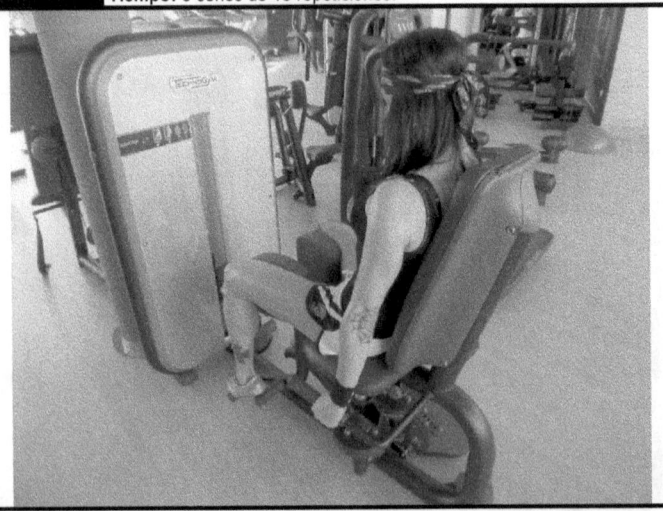

EJERCICIO Nº 93

Gesto Técnico: Prensa a una pierna. Nos sentamos en el banco de la máquina colocamos un pie sobre la plataforma y flexionamos y estiramos la pierna.
Objetivo: Pierna (cuádriceps y glúteo)
Tiempo: 3 series de 15 repeticiones.

EJERCICIO Nº 94

Gesto Técnico: Prensa para gemelos. Nos sentamos en el banco de la máquina colocamos la punta de los pies sobre la plataforma y flexionamos los pies manteniendo siempre las piernas completamente rectas.
Objetivo: Pierna (gemelos)
Tiempo: 3 series de 15 repeticiones.

EJERCICIO Nº 95	**Gesto Técnico:** Subimos a la maquina, apoyamos la pierna en la barra acolchada a la altura del gemelo inclinamos el cuerpo y elevamos la pierna, trabajar ambas piernas. **Objetivo:** Pierna (Glúteo) **Tiempo:** 3 series de 15 repeticiones.

EJERCICIO Nº 96	**Gesto Técnico:** Nos apoyamos en alguna de las máquinas, estiramos el brazo y vamos girando lentamente el cuerpo hasta notar el estiramiento. Trabajar ambos brazos. **Objetivo:** Bíceps. **Tiempo:** 15 segundos.

EJERCICIO N° 97

Gesto Técnico: Acostada boca arriba, flexionamos las piernas y giramos el cuerpo para tocar con la rodilla el suelo sin separar los hombros del suelo. Trabajar ambos lados.
Objetivo: Espalda.
Tiempo: 15 segundos.

EJERCICIO N° 98

Gesto Técnico: Acostados baca arriba, brazos y piernas totalmente estirados como muestra la fotografía.
Objetivo: Abdomen.
Tiempo: 2 series de 15 segundos.

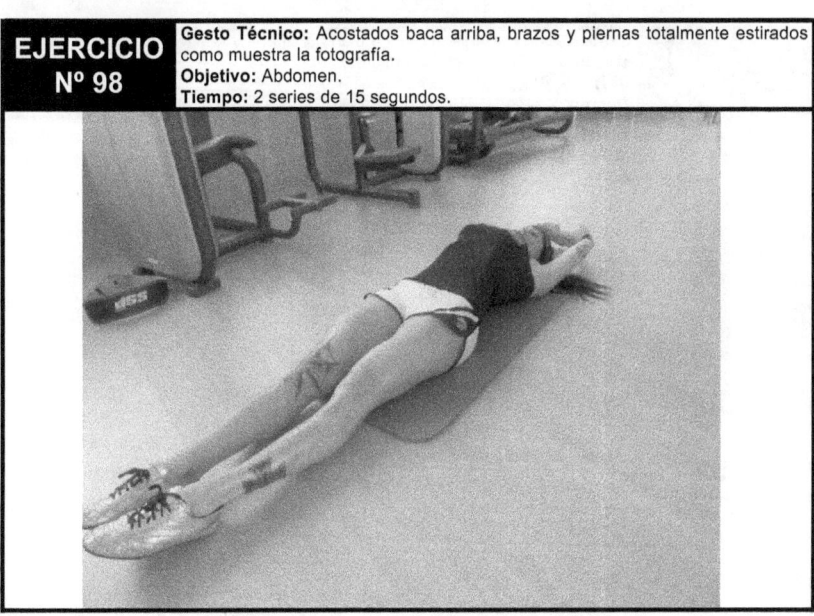

EJERCICIO Nº 99	**Gesto Técnico:** De pie, abrimos un poco las piernas y bajamos el cuerpo hacia una de ellas, luego cambiamos a la otra. **Objetivo:** Bíceps femoral. **Tiempo:** 15 segundos por pierna.

EJERCICIO Nº 100	**Gesto Técnico:** De pie, con una pierna estirada y la otra flexionada ir bajando el cuerpo hasta notar el estiramiento. **Objetivo:** Bíceps femoral. **Tiempo:** 2 series de 10 segundos.

EJERCICIO Nº 101

Gesto Técnico: De pie, nos apoyamos en una de las máquinas o la pared, y doblamos una de las piernas llevando el pie hacia el culo.
Objetivo: Cuádriceps.
Tiempo: 2 series de 10 segundos.

Rutinas de entrenamiento

Rutina 1

Siempre comenzaremos utilizando alguna de las máquinas de cardio de las que dispongan el gimnasio donde entrenemos (Bicicleta estática, cinta de correr, etc.).

Los músculos que vamos a trabajar en está rutina son el pecho y los tríceps.

El trabajo pectoral se empezará con cuatro ejercicios diferentes para atacar la parte superior, inferior y media del pecho. Buscad en las fichas de ejercicios y escoged esos cuatro ejercicios, recordad modificar de vez en cuando la rutina para no aburriros de ella.

Los tríceps los entrenaremos con tres ejercicios de tres series cada uno, ya que al entrenar pecho el tríceps también interviene y a la hora de entrenarlo ya está caliente.

Todos los días trabajaremos el abdomen.

Rutina 2

Como en la rutina anterior empezaremos haciendo ejercicios para lograr romper a sudar y luego pasaremos a trabajar los hombros ya que intervienen muy poco a la hora de entrenar pecho y apenas está afectada por las exigencias de la rutina anterior.

Haremos tres ejercicios de hombros que trabajen la parte frontal y lateral de los hombros y además trabajaremos trapecios.

Como cada día dedicaremos unas series a nuestro abdomen.

Rutina 3

Si entrenas de lunes a viernes, la rutina 3 correspondería al miércoles que lo dejaríamos para descansar.

Podéis hacer alguna actividad aeróbica, como el spinning, salir a correr o porque no a pasear.

Rutina 4

Este día lo vamos a dedicar a las piernas, como siempre empezaremos por dedicar nuestros primeros minutos a poner nuestro cuerpo a tono con ejercicios cardiovasculares, después buscaremos tres ejercicios para trabajar los cuádriceps, dos para el bíceps femoral, dos para el glúteo y otros tres para gemelos.

El último esfuerzo lo dedicaremos a nuestros abdominales.

Rutina 5

Esta quinta rutina vamos a dedicarla al dorsal y a los bíceps.

Al igual que lo que ocurre con los tríceps, entrenar el bíceps a la vez que la zona dorsal nos ayudará a mejorar los resultados ya que este musculo estará calentado para rendir al máximo.

Para el dorsal elegiremos cuatro ejercicios de cuatro series cada uno y para el bíceps tres ejercicios de tres series cada uno.

www.ingramcontent.com/pod-product-compliance
Lightning Source LLC
Chambersburg PA
CBHW060503110426
42738CB00055B/2604